Nadolig yn Rwla...

CARDIFF
CAERDYDD

Sioe gerdd wedi'i seilio ar gymeriadau cyfres Darllen Mewn Dim gan Angharad Tomos

Sgript gan Mair Tomos Ifans

Caneuon gan Mair Tomos Ifans
Trefniannau gan Meinir Wyn Edwards

Argraffiad cyntaf: 2010

Dymuna'r cyhoeddwyr gydnabod cymorth ariannol
Cyd-bwyllgor Addysg Cymru a Llywodraeth Cynulliad Cymru.

Hoffwn ddiolch i Wasg y Bwthyn am yr hawl i ddefnyddio'r gainc 'Siglo' allan o *Miri Maelgwyn a Cheinciau Eraill*.

Llun y clawr: Angharad Tomos

Rhif Llyfr Rhyngwladol: 9781847712257

Cyhoeddwyd ac argraffwyd yng Nghymru
gan Y Lolfa Cyf., Talybont, Ceredigion SY24 5HE
gwefan www.ylolfa.com
e-bost ylolfa@ylolfa.com
ffôn 01970 832 304
ffacs 832 782

CYMERIADAU

Rala Rwdins
Rwdlan
Mursen y gath
Dewin Dwl
Cosyn y llygoden
Llipryn Llwyd
Ceridwen
Dewin Doeth
Strempan
Cena Cnoi y ci
Angel Gabriel
Angylion
Mair
Joseff
Gŵr y Llety
Gwraig y Llety
Plant
Bugeiliaid
Ŵyn
Doethion

NID OES ANGEN SET GYMHLETH.
BYDDAI AWGRYM O WLAD Y RWLA YN LLEOLI'R DIGWYDD AR Y DECHRAU.

BYDD ANGEN GWISGOEDD I GYNRYCHIOLI CYMERIADAU GWLAD Y RWLA YNGHYD Â GWISGOEDD TRADDODIADOL DRAMA'R GENI.

MAE CYFLE I BOB YSGOL UNIGOL ADDASU'R DAFODIAITH A DEHONGLI'R SIOE GERDD I'W DIBENION EI HUN.

NADOLIG YN RWLA...

DAW RALA RWDINS I MEWN YN LLUSGO COEDEN. MAE'N GADAEL Y GOEDEN AR OCHR Y LLWYFAN.

RALA RWDINS: Rwdlan! Rŵ-dlan!

DAW RWDLAN A MURSEN I MEWN, GYDA MURSEN YN MEWIAN.

RWDLAN: Helô, Rala Rwdins.

MURSEN: Mi-aw.

RALA RWDINS: Ble mae'r addurniadau?

RWDLAN: Dyma nhw.

MAE'N DANGOS ADDURNIADAU.

RALA RWDINS: O, da iawn.

RWDLAN: Be dach chi'n mynd i addurno?

RALA RWDINS: Coeden.

RWDLAN: Coeden?

RALA RWDINS: Ie. Coeden.

RWDLAN: Pam?

RALA RWDINS: Pam be?

RWDLAN: Pam addurno coeden?

RALA RWDINS: Oherwydd bod y Nadolig yn nesáu.
Ble mae'r goleuadau?

MAE RALA RWDINS YN GADAEL.
DAW DEWIN DWL A COSYN I MEWN.

DEWIN DWL:	Helô!
COSYN:	Wich!
RWDLAN:	Helô, Dewin Dwl. Helô, Cosyn. Ydach chi isio addurno coeden?
DEWIN DWL:	Addurno coeden?
RWDLAN:	Ie.
DEWIN DWL:	Pam?
RWDLAN:	Oherwydd bod y Nadolig yn nesáu.

DAW LLIPRYN I MEWN. MAE'N CRIO.

RWDLAN:	Helô, Llipryn.
DEWIN DWL:	Helô, Llipryn.
LLIPRYN:	(*yn crio*) Helô.
DEWIN DWL:	Pam wyt ti'n crio, Llipryn?
LLIPRYN:	Dwi wastad yn crio.
RWDLAN:	Mae gen i syniad da. Llipryn, gei di fod yn goeden. Neith hynny godi dy galon di.
LLIPRYN:	Ond sut?
RWDLAN:	Mi wnawn ni dy addurno di.
DEWIN DWL:	Bydd yn goeden, Llipryn. Fel hyn.

MAE DEWIN DWL YN SEFYLL EFO'I FREICHIAU AR LED, AC MAE LLIPRYN YN EI EFELYCHU.

LLIPRYN:	Fel hyn?
DEWIN DWL:	Ie – da iawn, Llipryn.

MAE RWDLAN A DEWIN DWL YN TAENU TINSEL O AMGYLCH A THROS LLIPRYN.

RWDLAN: O Llipryn – mi rwyt ti'n goeden hardd.

LLIPRYN: Ond pam?

RWDLAN: Pam be?

LLIPRYN: Pam addurno coeden?

RWDLAN A DEWIN DWL: Oherwydd bod y Nadolig yn nesáu.

LLIPRYN: Be ydi Nadolig? Ydy o'n rhywbeth i'w fwyta?

RWDLAN: Ym… efallai… ym…

CLYWN LAIS RALA RWDINS:

RALA RWDINS: Rwdlan! Rwdlan!

DAW RALA RWDINS I MEWN EFO GOLEUADAU NADOLIG. MAE'N GWELD 'Y GOEDEN' WEDI EI HADDURNO – NID YW'N SYLWI MAI LLIPRYN SYDD YNO.

RALA RWDINS: Wel, mae'r goeden yn edrych yn hardd iawn, Rwdlan a Dewin Dwl. Da iawn chi.

MURSEN: Mi-aw.

COSYN: Wich.

RALA RWDINS: A da iawn Mursen a Cosyn. Mae angen rhoi'r goleuadau yma ar y goeden.

MAE RALA RWDINS YN RHOI GOLEUADAU AR Y GOEDEN. WRTH IDDI WNEUD HYNNY MAE LLIPRYN YN TISIAN.

LLIPRYN: Aaaaatishwwww!

RALA RWDINS: (*yn dychryn*) Aaa! Llipryn?

LLIPRYN: Roedd yr addurniadau yn cosi fy nhrwyn.

RALA RWDINS: Pam wyt ti wedi dy addurno fel coeden?

RWDLAN A DEWIN DWL A LLIPRYN:	Oherwydd bod y Nadolig yn nesáu.
MURSEN:	Mi-aw.

MAE RALA RWDINS, DEWIN DWL, RWDLAN A MURSEN YN SYMUD Y TINSEL A'R GOLEUADAU ODDI AR LLIPRYN A'U GOSOD AR Y GOEDEN.

CÂN 1 – MI DDAW YR ŴYL

DEWIN DWL: Be ydi'r Nadolig, Rala Rwdins?

RALA RWDINS: Wel, dyna gwestiwn *mawr* iawn gan ddewin mor *fach*! Bydd Ceridwen yma cyn bo hir – beth am ofyn iddi hi? Dwi'n mynd i nôl celyn.

MAE RALA RWDINS YN GADAEL.

DAW CERIDWEN I MEWN YN BWYTA LLYFR (TUDALENNAU O BAPUR REIS).

CERIDWEN: Helô! Oes 'na bobol? Mae 'na ryseitiau da iawn am bwdin Nadolig, cacen Nadolig a mins peis yn y llyfr yma.

LLIPRYN: Ddudis i mai rhywbeth i'w fwyta oedd o.

CERIDWEN: Oedd be, Llipryn?

LLIPRYN: Y Nadolig!

MAE CERIDWEN YN CHWERTHIN.

CERIDWEN: Wel, mae pawb yn bwyta llawer iawn yn *ystod* y Nadolig, ond nid rhywbeth i'w fwyta *ydi'r* Nadolig. Gŵyl ydi hi.

RWDLAN: Gŵyl? Fel Gŵyl-an y Môr.

MAE RWDLAN, DEWIN DWL, LLIPRYN, MURSEN A COSYN YN CHWIFIO'U BREICHIAU AC ESGUS HEDFAN O AMGYLCH Y LLWYFAN.

CERIDWEN:	Na, na, na, Rwdlan. Diwrnod i ddathlu ydi gŵyl – i gofio a dathlu.
DEWIN DWL:	Cofio be?
CERIDWEN:	Stori Fwya'r Byd.
RWDLAN A DEWIN DWL A LLIPRYN:	(*llafarganu*) Stori, stori, gawn ni stori?
CERIDWEN:	Iawn, 'te. Pawb yn eistedd yn gyfforddus?

MAE RWDLAN, DEWIN DWL, LLIPRYN, MURSEN A COSYN YN EISTEDD I LAWR I GAEL STORI.

CERIDWEN:	Un tro, ymhell bell yn ôl yng Ngwlad Jiwdea...

DAW'R DEWIN DOETH I MEWN AR FRYS.

DEWIN DOETH:	Roedd 'na seren ddisglair iawn yn yr awyr heno... mi welais i hi drwy'r sbienddrych...
CERIDWEN:	Seren Bethlehem ydi hi, mae'n siŵr.
PAWB:	Seren Bethlehem?
CERIDWEN:	Ie, mae'n rhan o Stori Fwya'r Byd... Eisteddwch i lawr, Dewin Doeth...

MAE STREMPAN (A CENA CNOI AC ADERYN) YN CRIPIAN I MEWN.

STREMPAN:	Ha ha ha ha! Be ydi hyn? Cornel Stori Ceridwen?
CERIDWEN:	... Un tro, ymhell bell yn ôl yng Ngwlad Jiwdea, roedd...

DEWIN DOETH YN EDRYCH DRWY EI SBIENDDRYCH AR STREMPAN.

DEWIN DOETH:	Strempan!
PAWB:	Strempan?!
CERIDWEN:	Wyt ti isio gwrando ar y stori, Strempan?

STREMPAN:	Y fi – yn gwrando ar stori? Ha ha ha ha! Dim ond plant bach sy'n gwrando ar stori.
DEWIN DOETH:	Ond hon ydi Stori Fwya'r Byd, Strempan.
CERIDWEN:	Stori Fwya'r Byd? Mae plant Ysgol ____________ yn actio'r ddrama honno heno.
RWDLAN:	Actio drama? O, gawn ni fynd i'w gweld hi? Gawn ni?
DEWIN DWL:	O pliiiiiiis, Ceridwen?
MURSEN:	Mi-aw?
COSYN:	Wich?
STREMPAN:	Well i chi frysio – mae'r ddrama ar fin dechrau.
CERIDWEN:	Dowch, ta. Mi sgwenna i nodyn i Rala Rwdins.

MAE CERIDWEN YN YSGRIFENNU NODYN AR GEFN TUDALEN O'I LLYFR.

MAE RWDLAN, DEWIN DWL, LLIPRYN, MURSEN, COSYN A'R ADERYN YN MYND I EISTEDD YM MLAEN Y NEUADD I WYLIO 'STORI FWYA'R BYD'.

MAE CERIDWEN YN GADAEL NODYN I RALA RWDINS AR Y LLWYFAN AC YNA'N GADAEL.

MAE STREMPAN YN SYLWI AR Y GOEDEN AC YN GAFAEL YNDDI.

STREMPAN:	Ha ha ha ha! Dwi angen coeden i addurno Castell Cnotiog. Dowch Cena Cnoi a...

DAW RALA RWDINS I MEWN YN CARIO CELYN.

RALA RWDINS:	Ble cefaist ti'r goeden 'na, Strempan?
STREMPAN:	Ei ffeindio hi.
RALA RWDINS:	Fy nghoeden i ydi honna.
STREMPAN:	Dy goeden di *oedd* hi, Rala Rwdins – ha ha ha ha...

MAE STREMPAN, CENA CNOI A'R ADERYN YN GADAEL.

RALA RWDINS: Strempan! Strempan! Ty'd â'r goeden 'na'n ôl y munud 'ma!

MAE RALA RWDINS YN CYCHWYN AR ÔL STREMPAN OND YN GWELD NODYN CERIDWEN.

RALA RWDINS: Beth ydi hwn?

RALA RWDINS YN DARLLEN:

RALA RWDINS: Neges Bwysig i Rala Rwdins: Pwdin Nadolig – cynhwysion: cyraints, rêsins, cnau, blawd, wyau... mae'n rhaid bod Ceridwen am i mi wneud pwdins ar frys – well i mi gychwyn arni.

MAE RALA RWDINS YN GAFAEL MEWN POWLEN GYMYSGU A LLWY BREN AC YN GADAEL Y LLWYFAN.

DAW CAST 'STORI FWYA'R BYD' I MEWN – AC EISTEDD AR Y LLWYFAN FEL CÔR.

CÂN 2 – STORI FWYA'R BYD

MAE ANGEL GABRIEL A MAIR EFO'I GILYDD AR FLAEN Y LLWYFAN A'R ANGYLION Y TU ÔL I GABRIEL.

CÂN 3 – YMHELL, BELL YN ÔL

MAE'R ANGYLION YN MYND YN ÔL AT Y CÔR.

DAW JOSEFF AT MAIR.

MAIR: Ond dydw i ddim yn deall, Joseff.

JOSEFF: Na finnau chwaith, Mair.

GABRIEL: Peidiwch â phoeni, bydd Duw yn gofalu am bopeth.

MAE GABRIEL YN MYND YN ÔL AT Y CÔR.
MAE'R LLINELLAU SY'N DILYN I'W RHANNU RHWNG PLANT Y CÔR.

PLENTYN 1: Roedd yn rhaid i Mair a Joseff fynd i Fethlehem.

PLENTYN 2: I dalu treth i Cesar.

CÂN 4 – Y DAITH AR YR ASYN

YN YSTOD Y GÂN GALL MAIR, JOSEFF A'R ASYN GERDDED DRWY'R NEUADD TUAG AT Y LLWYFAN.

PLENTYN 3: Pan gyrhaeddon nhw Bethlehem, doedd dim un gwely ar ôl.

PLENTYN 4: Roedd pob gwesty'n llawn.

PLENTYN 5: Ond roedd babi Mair bron â chyrraedd.

MAIR: Rhaid i ni ddod o hyd i rywle i aros. Mae'r babi bron â dod!

DAW JOSEFF A MAIR AT WR A GWRAIG Y LLETY.

JOSEFF: Oes ganddoch chi le i ni aros yma?

GŴR A GWRAIG Y LLETY: Nag oes, mae'n ddrwg gen i.

CÂN 5 – CÂN Y LLETY

MAE MAIR A JOSEFF YN MYND I'R STABL – DAW GŴR Y LLETY A RHAI O'R PLANT Â PHRESEB ATYNT. OS OES PLANT WEDI'U GWISGO FEL ANIFEILIAID e.e. ASYNNOD, GALLENT HWYTHAU DDOD AT Y PRESEB.

PLENTYN 1: Cael a chael oedd hi.

PLENTYN 2: Oherwydd yn fuan wedyn, cafodd babi Mair ei eni.

MAE JOSEFF YN CAEL BABI WEDI'I RWYMO MEWN CADACHAU GAN GABRIEL AC YN EI ROI I MAIR.

JOSEFF: Ffiw! Jyst mewn pryd!

PLENTYN 3: Doedd dim crud i'r baban Iesu.

PLENTYN 4: Dim ond y preseb, a oedd yn dal bwyd yr anifeiliaid.

MAE'R PLANT SYDD WEDI'U GWISGO FEL ANIFEILIAID YN BWYTA O'R PRESEB.

JOSEFF A GŴR Y LLETY : (*wrth yr anifeiliaid*) Shw, shw, shw!

MAE'R ANIFEILIAID YN SYMUD.

PLENTYN 5: Lapiodd Mair ei babi bach yn dynn.

PLENTYN 6: Cysgodd Iesu yn dawel…

PLENTYN 7: … yn ddiogel a chlyd yn y preseb.

CÂN 6 – HWIANGERDD

DAW'R BUGEILIAID YMLAEN.

PLENTYN 1: Yn y wlad o gwmpas tref Bethlehem roedd bugeiliaid yn edrych ar ôl defaid.

DEFAID AC ŴYN I WNEUD SŴN BREFU.

BUGAIL 1: Sh, sh, sh, – tewch, tewch, tewch!
O, dewch, ddefaid – cysgwch – plis!

BUGAIL 2: Mae pob man yn *dawel*.

BUGAIL 3: O'r diwedd.

OEN: Mêêê!

BUGAIL 4: *Tawel*, ddudodd o.

OEN: (*yn sibrwd*) Sori! Mê.

BUGAIL 1: Mae pob man yn dywyll.

OEN: Mê. Nac ydi.

BUGAIL 1: Ydi mae hi, mae'n nos.

OEN: Mê. Beth ydi'r golau 'na, 'te?

BUGAIL 1: Pa olau?

MAE GABRIEL A'R ANGYLION YN YMDDANGOS. MAE GABRIEL YN GAFAEL MEWN FFLACHLAMP AC YN EI CHWIFIO O GWMPAS.

GABRIEL: Fan hyn.

BUGEILIAID: (*wedi dychryn*) Waaa!

GABRIEL: Peidiwch ag ofni – fi, Gabriel, sydd yma. Newyddion da sydd gen i.

ANGEL 1: Mae brenin newydd wedi ei eni.

ANGEL 2: Ym Methlehem, Jiwdea.

ANGEL 3: Mae o mewn preseb.

ANGEL 4: Yn cysgu.

GABRIEL: Ewch i'w weld o, ond peidiwch â gwneud gormod o sŵn.

BUGAIL 1: Ond rhaid i ni fynd ag anrheg. Mae'n rhaid mynd ag anrheg i fabi bach newydd.

BUGAIL 2: Does gen i ddim byd i'w roi.

BUGAIL 3: Na finnau, chwaith.

BUGAIL 4: Na fi. Dim ond fy ffon.

OEN: Mê. Gaf i fod yn anrheg i'r baban?

BUGAIL 1: Wel, syniad gwych. Tyrd. Dere.
(*wrth y bugeiliaid*) Dewch.

CÂN 7 – Y BUGEILIAID A'R ŴYN

GABRIEL: Peidiwch â gweiddi'n rhy uchel, rhag ofn i chi ddeffro'r babi.

BUGAIL 1: Iawn. (*yn canu*)
Gweiddi wnawn yn dawel –
Hip, hip, hip-hip hwrê!

MAE'R BUGEILIAID YN PLYGU GLIN GERBRON Y BABAN YN Y PRESEB.

BUGAIL: Dyma anrheg i'r baban.

MAE'N RHOI'R OEN I JOSEFF A MAIR.

OEN: Mê!

MAIR A JOSEFF: Diolch.

BUGAIL 1: Mi fydd llawer iawn o bobol yn dod i'ch gweld chi. Rydyn ni wedi gweiddi dros y lle i gyd fod brenin newydd wedi cael ei eni.

JOSEFF: Well i bawb orffwys, felly.

MAIR: Tra gallwn ni…

MAE PAWB YN Y STABL YN MYND I GYSGU.

DEWIN DOETH: (*yn codi ar ei draed ac yn clapio'n uchel*) Da iawn. Da iawn chi. Drama dda iawn…

MAE CERIDWEN YN CODI.

CERIDWEN: Eisteddwch i lawr, Dewin Doeth. Dydy'r ddrama ddim wedi gorffen eto. Mae seren newydd wedi ymddangos ac mae hynny yn golygu bod brenin newydd wedi cael ei eni.

MAE'R DEWIN DOETH A CERIDWEN YN EISTEDD.

GABRIEL: Mae tri gŵr doeth wedi dilyn y seren o'r Dwyrain ac wedi dod i chwilio am y brenin newydd. Mae pawb yn hapus – heblaw Herod. Dydy o ddim yn hapus o gwbl.

CÂN 8 – RAP HEROD

PLENTYN 1:	Y noson honno fe welodd y doethion y seren yn aros…
PLENTYN 2:	… yn union uwchben lle roedd yr Iesu'n cysgu.
PLENTYN 3:	Roedd ganddynt anrhegion i'r baban bach.
DOETHYN 1:	Aur yw fy anrheg i.
DOETHYN 2:	Thus yw fy anrheg i.
DOETHYN 3:	Myrr yw fy anrheg i.
MAIR A JOSEFF:	Diolch yn fawr i chi am yr anrhegion.
MAIR:	Tydi pawb yn garedig, Joseff?
JOSEFF:	Caredig iawn, Mair.
DOETHYN 1:	Bydd yn rhaid i ni fynd rŵan.
DEOTHYN 2:	Mae ganddon ni daith hir o'n blaen.
DOETHYN 3:	A bydd rhaid i ni fynd i ddweud wrth Herod ein bod wedi dod o hyd i'r Brenin newydd.
PAWB:	(*yn gweiddi*) O na!
DOETHYN 1:	Ond bydd Herod eisiau rhoi anrheg i'r baban hefyd.
PAWB:	(*yn gweiddi*) O na!
DOETHYN 2:	Ond pam?
GABRIEL:	Mae Herod eisiau lladd y baban Iesu.
DOETHYN 3:	Hen ddyn cas yw Herod.
DOETHYN 1:	Awn ni ddim at Herod.
DOETHYN 2:	Awn ni adre ar hyd ffordd arall.

CÂN 9 – SEREN YN Y NEN

DIWEDD DRAMA 'STORI FWYA'R BYD'. MAE TRIGOLION GWLAD Y RWLA YN CODI AR EU TRAED AC YN CLAPIO A GWEIDDI HWRÊ. MAE CAST 'STORI FWYA'R BYD' YN MOESYMGRYMU AC YN GADAEL Y LLWYFAN.

MAE TRIGOLION GWLAD Y RWLA YN MYND YN ÔL AR Y LLWYFAN.

CERIDWEN: A dyna beth ydi'r Nadolig. Gŵyl i gofio am eni Iesu Grist.

RWDLAN: Stori dda ydi hi, yntê.

DEWIN DWL: Stori Fwya'r Byd.

RWDLAN A DEWIN DWL A LLIPRYN A MURSEN A COSYN: (*yn canu*) Dewch bawb i weld y baban,
Dewch gyda ni i'r dre.
Gwaeddwch, "Haleliwia,
Hip, hip, hip-hip hwrê."

CERIDWEN: Dewch – gwell i ni frysio yn ôl i Dan Domen. Mi fydd Rala Rwdins yn aros amdanon ni.

DAW STREMPAN, CENA CNOI A'R ADERYN I MEWN. MAE STREMPAN YN DAL I LUSGO'R GOEDEN NADOLIG.

RWDLAN: Hei, coeden Tan Domen ydi honna!

STREMPAN: Wel, coeden Castell Cnotiog ydi hi rŵan. Ha ha ha ha!

DEWIN DWL: Rhowch y goeden i ni.

MAE'R DEWIN DWL YN GWTHIO LLIPRYN YN NES AC YN NES AT STREMPAN YN YSTOD Y LLINELLAU "O YDI MAE O!" ISOD.

STREMPAN: Pam? Ei ffeindio hi wnes i.

CERIDWEN: Ond coeden Rala Rwdins ydi hi.

STREMPAN: Ond dydi hynny ddim yn deg.

PAWB: O ydi mae o!

STREMPAN: O nac ydi ddim.

PAWB O ydi mae o!

STREMPAN:	O nac ydi ddim.
DEWIN DWL:	O ydi mae o!

DAW'R LLIPRYN LLWYD A'R DEWIN DWL DRWYN YN DRWYN EFO'R CENA CNOI.

CENA CNOI:	O, nac ydi ddim. Grrrr!

MAE'R LLIPRYN LLWYD YN CRIO A'R DEWIN DWL YN CRYNU.
MAE COSYN YN SLEIFIO Y TU ÔL I'R CENA CNOI.

COSYN:	Wich wich. Cena Cnoi.
CENA CNOI:	(*yn dychryn*) Lly… lly… lly… llygoden! Ble?
PAWB:	Tu ôl i ti!

MAE'R CENA CNOI YN TROI AC YN GWELD COSYN. MAE'N GWEIDDI A RHEDEG I FFWRDD. MAE PAWB YN CHWERTHIN.

STREMPAN:	(*yn rhedeg ar ôl y Cena Cnoi*) Cena Cnoi. Tyrd yma'r cnaf!

MAE STREMPAN YN MYND, GAN ADAEL Y GOEDEN AR ÔL.

DEWIN DWL:	Da iawn, Cosyn.

MAE RALA RWDINS YN CYRRAEDD, YN CARIO BASGED ENFAWR.

RALA RWDINS:	Wel, dyma chi o'r diwedd – ac wedi dod o hyd i'r goeden. Da iawn, wir. Ond ble fuoch chi mor hir?
CERIDWEN:	Chawsoch chi mo 'nodyn i?
RALA RWDINS:	Do, do. Neges frys yn gofyn i mi wneud pwdin Nadolig.
CERIDWEN:	Yn gofyn i chi wneud pwdin? Wnes i ddim gofyn i chi wneud pwdin.
RALA RWDINS:	Wel, do. Dyma'r nodyn.

MAE RALA RWDINS YN DANGOS Y NODYN I CERIDWEN. MAE CERIDWEN YN TROI'R NODYN DROSODD AC YN EI DDANGOS I RALA RWDINS. MAE'R DDWY'N CHWERTHIN.

RALA RWDINS: Yn Ysgol ______ fuoch chi felly.

DEWIN DWL: Ie, yn gweld drama…

COSYN: Wich!

MURSEN: Mi-awww…

DEWIN DOETH: Yn dilyn seren ddisglair…

RWDLAN: Stori Fwya'r Byd…

RALA RWDINS: A minnau wedi bod yn brysur yn gwneud pwdin Nadolig i Ceridwen. Ond roeddwn i ar gymaint o frys wnes i ddim darllen y rysáit yn iawn ac mi wnes i lawer gormod o bwdin.

MAE RALA RWDINS YN ESTYN PWDIN YR UN I BAWB O'I BASGED – RHUBAN BACH LLIWGAR AR BOB UN.

RALA RWDINS: Nadolig Llawen i chi i gyd.

RWDLAN: Nadolig Llawen, Rala Pwdins!

PAWB: Nadolig Llawen, Rala Pwdins!

MAE PAWB YN CHWERTHIN.

CÂN 10 – FINALÉ

Pawb i ganu'r gân olaf.

CANEUON

MI DDAW YR ŴYL
(tôn gron)

Mi ddaw yr ŵyl,
Mi ddaw yr ŵyl,
Dewch bawb i uno yn yr hwyl.
Addurno'r tai, addurno'r tai,
Y mae'r Nadolig yn nesáu.

(Gellid canu'r gân sawl gwaith)

STORI FWYA'R BYD

PAWB	**Cytgan:** Dyma ni, un, dau, tri, pawb 'di cyrraedd, Wedi dod at ein gilydd i gyd, Yn barod i berfformio y ddrama fawr Sy'n adrodd Stori Fwya'r Byd.
GABRIEL	Y fi ydi Angel Gabriel, Dwi'n fòs yr angylion bach gwyn,
BUGAIL	A fi ydi'r bugail sy'n cadw trefn Ar yr holl fugeiliaid a'r defaid hyn.
PAWB	**Cytgan:** Dyma ni, un, dau, tri, pawb 'di cyrraedd, Wedi dod at ein gilydd i gyd, Yn barod i berfformio y ddrama fawr Sy'n adrodd Stori Fwya'r Byd.
OEN	Y fi ydi'r oenig bychan, Dwi'n gwneud sŵn mê-mê go iawn.
GŴR Y LLETY	A fi 'di gŵr y llety sy'n dweud yn drist Wrth Mair a Joseff fod y llety'n llawn.
PAWB	**Cytgan:** Dyma ni, un, dau, tri, pawb 'di cyrraedd, Wedi dod at ein gilydd i gyd, Yn barod i berfformio y ddrama fawr Sy'n adrodd Stori Fwya'r Byd.

YMHELL, BELL YN ÔL

PAWB	**Cytgan:** Ymhell bell, bell, bell, bell, bell yn ôl Yng ngwlad Jiwdea Daeth Angel Gabriel at Mair Yng ngwlad Jiwdea.
GABRIEL	Paid, paid, paid, paid, paid ag ofni, Yr Angel Gabriel ydw i. Mae gen i neges, un bwysig iawn Gan Dduw yn arbennig i ti.
PAWB	**Cytgan:** Ymhell bell, bell, bell, bell, bell yn ôl Yng ngwlad Jiwdea Daeth Angel Gabriel at Mair Yng ngwlad Jiwdea.
ANGYLION	Paid, paid, paid, paid, paid ag ofni Yr Angel Gabriel ddaeth o'r nef A dweud dy fod am gael babi bach. Iesu fydd ei enw Ef.

Y DAITH AR YR ASYN
(Cerdd dant)

Clip, clop, clip, clop, siwrne faith,
Clip, clop, clip, clop, mynd ar daith.
Haul yn boeth a'i wres yn llosgi,
Rhaid oedd mynd i dalu trethi.

Clip, clop, clip, clop, asyn llwyd,
Clip clop, clip clop, eisiau bwyd.
Mair a Joseff wedi teithio
I Fethlehem, maent wedi blino.

Clip, clop, clip, clop, dan y lloer
Clip, clop, clip, clop, noson oer,
Eisiau gorffwys, eisiau cysgu,
Chwilio'r strydoedd i gael llety.

CÂN Y LLETY

GŴR/GWRAIG Y LLETY	O, na, mae'n ddrwg gen i, O, na, sdim lle i chi. Mae gwestai Bethlehem yn llawn i gyd. Mae'r stabl rownd y cefn yn gynnes glyd. Fydd hynny yn iawn? Fydd hynny yn iawn? Fydd hynny yn iawn i chi?
MAIR A JOSEFF	Bydd hynny yn iawn, Bydd hynny yn iawn, Bydd hynny yn iawn i ni.
GŴR Y LLETY	O, wir, mae'n ddrwg gen i Fod y llety'n llawn.
PAWB	***(wrth ei gilydd fel petaent yn hel clecs)*** O, na, mae'n ddrwg ganddo fo/fe. O, na, sdim lle ganddo fo. Mae gwestai Bethlehem yn llawn i gyd. Mae'r stabl rownd y cefn yn gynnes glyd. Fydd hynny yn iawn? Fydd hynny yn iawn? Fydd hynny yn iawn iddyn nhw?
MAIR A JOSEFF	Bydd hynny yn iawn, Bydd hynny yn iawn, Bydd hynny yn iawn i ni.
GŴR Y LLETY	O, wir, mae'n ddrwg gen i Fod y llety'n llawn.

HWIANGERDD

MAIR

Dyna ni, dyna ni,
Cysga di fy mhlentyn i.
Cwsg am dro, dyna fo,
Colomen wen sydd ar y to.

Dyna ni, dyna ni,
Cysga di fy mhlentyn i.
Cysga'n dynn, mae Mam fan hyn,
Oen sy'n brefu ar y bryn.

Dyna ni, dyna ni,
Cysga di fy mhlentyn i,
Cysga'n glyd, ti'n werth y byd,
Mae seren ddisglair uwch dy grud.

Y BUGEILIAID A'R ŴYN

BUGEILIAID
AC
ŴYN

Awn i weld y baban
A chanu hyd y lle.
Dyma fore newydd.
Hip, hip, hip-hip hwrê!

BUGEILIAID

Awn i weld y baban
I lawr ym Methlem dre.
Neidio, clapio, dawnsio,
Hip, hip, hip-hip hwrê!

ŴYN

Awn i weld y baban
Anrhegion bach – mê-mê.
Brefu wnawn yn uchel,
Hip, hip, hip-hip hwrê!

PAWB

Dewch i weld y baban.
Dewch gyda ni i'r dre.
Gwaeddwch, "Haleliwia,
Hip, hip, hip-hip hwrê!"

RAP HEROD
(i gyfeiliant offerynnau taro)

PAWB

Mae Herod wedi gwylltio.
Mae Herod yn un cas.
Mae Herod heddiw'n wallgo.
Mae cynnwrf yn y plas,
yn y plas,
Cynnwrf yn y plas.

Mae Herod wedi styrbio.
Mae Herod yn un cas.
Mae Herod heddiw'n ffrwydro.
Mae'i wyneb yn troi'n las,
yn troi'n las.
Ei wyneb yn troi'n las.

Mae Herod wedi ffromi.
Mae Herod yn un cas.
Mae Herod heddiw'n gweiddi.
Mae'i lais yn hyll a chras,
hyll a chras.
Ei lais yn hyll a chras.

Mae Herod wedi hurtio.
Mae Herod yn un cas.
Mae Herod heddiw'n chwilio.
Mae'r milwyr nawr ar ras,
nawr ar ras.
Mae'r milwyr nawr ar ras.

SEREN YN Y NEN

DOETHION

Cytgan:
Sbïwch, sbïwch drwy'r sbienddrych.
Chwiliwch, chwiliwch fry uwchben.
Allwch chi ei gweld hi'n sgleinio?
Seren ddisglair, y seren ddisglair wen.
Seren ddisglair, seren yn y nen.

CASPAR

Mi fûm i'n astudio y sêr ers blynyddoedd,
Ond hon yw'r ddisgleiriaf ohonynt i gyd.
Mae'n arwydd arbennig fod Brenin 'di'i eni,
Fod baban bach newydd ynghwsg yn Ei grud. O!

BELTHASAR

Mi fûm i'n trafaelio y byd ers blynyddoedd,
Ond hon yw'r daith orau ohonynt i gyd.
Mi deithiwn holl lwybrau y ddaear fawr yma
I weled y baban sy'n Frenin y byd. O!

MELCHIOR

Mi fûm i'n astudio pob llyfr ers blynyddoedd,
Ond hon yw prif stori y llyfrau i gyd.
Bydd stori fach annwyl am eni yr Iesu
Yn tyfu yn stori fawr fwyaf y byd. O!

FINALÉ

Mae'n amser i ni ddweud ffarwél,
Fe ddaeth ein sioe i ben.
Mae gwên ar wefus pawb yn awr,
Mae seren yn y nen.

Nadolig llawen, Rala Pwdins.
Nadolig llawen iawn i chi i gyd.
Rhaid cofio addurno y goeden
A chofio y cracers i'r cinio,
Cofio llythyr Siôn Corn.
A chofio Stori Fwya'r Byd.
Nadolig llawen i chi i gyd.

MI DDAW YR ŴYL
(tôn gron)

STORI FWYA'R BYD

16
gwyn. A fi y - dy'r bu - gail sy'n ca - dw trefn
19
Ar yr holl fu - geil - iaid a'r de - faid hyn.
rit.

YMHELL, BELL YN ÔL

Y DAITH AR YR ASYN

Alaw: 'Siglo', Catherine Watkin
Gosodiad Mari Watkin

25
Clip, clop, clip, clop, dan y lloer, Clip, clop,

31
clip, clop, no-son oer. Ei-siau gor- ffwys, ei-siau cys- gu, Chwil-io'r stryd-oedd i gael lle- ty.

CÂN Y LLETY

Gŵr y Llety
O, na, mae'n
6
ddrwg gen i, O, na, sdim lle i chi. Mae gwes - tai Beth - le - hem yn llawn i

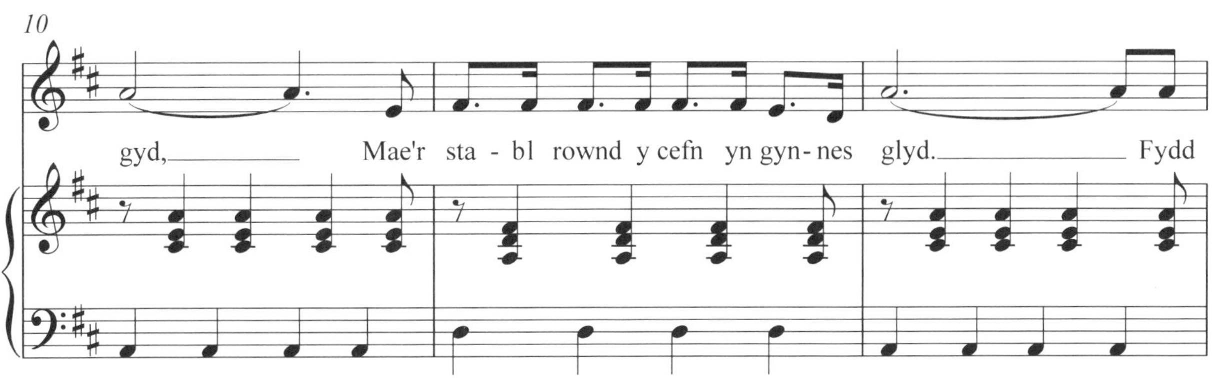
10
gyd, Mae'r sta - bl rownd y cefn yn gyn - nes glyd. Fydd

13
3
hyn - ny yn iawn, fydd hyn - ny yn iawn? Fydd hyn - ny yn iawn i chi?
Mair a Joseff
Bydd

15
3
hyn - ny yn iawn, bydd hyn - ny yn iawn. Bydd hyn - ny yn iawn i ni.
rit.

17
Gŵr y Llety
O, wir, mae'n ddrwg gen i, Fod y lle - ty'n llawn.

HWIANGERDD

Yn dawel ac araf
Mair
5
8
Dy - na ni, dy - na ni.
Cy - sga di fy mhlen - tyn i. Cwsg am dro,
dy - na fo, Co - lo - men wen sydd ar y to.

Y BUGEILIAID A'R ŴYN
(neu'n ddigyfeiliant, fel carol blygain)

RAP HEROD

Dylid defnyddio offerynnau taro fel cyfeiliant rhythmig

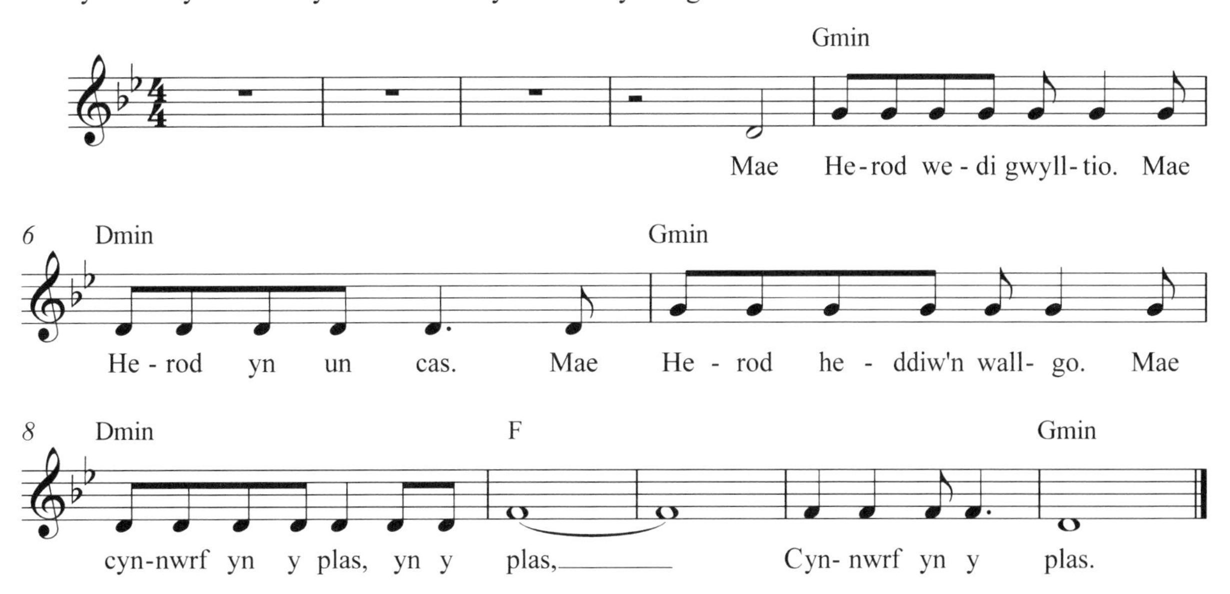

SEREN YN Y NEN

16
Pennill
Mi fûm i'n a - stu - dio y sêr ers bly - ny - ddoedd, Ond
19
hon yw'r ddis - gleir - iaf o - hon - ynt i gyd. Mae'n ar - wydd ar - ben - nig fod
22
Bre - nin 'di'i e - ni, Fod ba - ban bach new - ydd yng - hwsg yn Ei grud. O!

FINALÉ

Mae'n am - ser i ni ddweud ffar-wél, Fe
6
ddaeth ein sioe i ben. Mae gwên ar we - fus pawb yn awr, Mae
10
se - ren yn y nen. Na - dol-ig lla-wen, Ra - la Pwd - ins. Na -
14
dol - ig lla-wen iawn_ i chi gyd. Rhaid co-fio a-ddur-no y

17
rit.
goed-en A cho- fio y crac-ers i'r cin- io, Co-fio lly-thyr Siôn Corn, A
rit.
20
a tempo
cho-fio Sto-ri Fwy - a'r Byd. Na - do-lig lla-wen i chi gyd.

Am restr gyflawn o lyfrau'r Lolfa, mynnwch
gopi o'n catalog newydd, rhad
neu hwyliwch i mewn i'n gwefan

www.ylolfa.com

lle gallwch archebu llyfrau ar lein.

Talybont Ceredigion Cymru SY24 5HE
ebost ylolfa@ylolfa.com
gwefan www.ylolfa.com
ffôn 01970 832 304
ffacs 832 782